W9-CHR-789

★本故事純屬虛構，與實際的
人物、團體名等均無關係。

# 鋼之鍊金術師

FULLMETAL ALCHEMIST

1

荒川弘

# CONTENTS

不帶痛苦的教訓是毫無意義的，

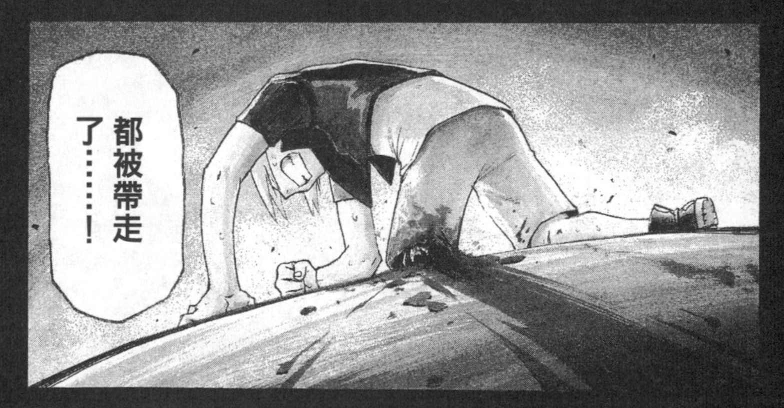


因為人若不經歷過犧牲便無法記取教訓。

第1話
兩個鍊金術師

FULLMETAL
ALCHEMIST

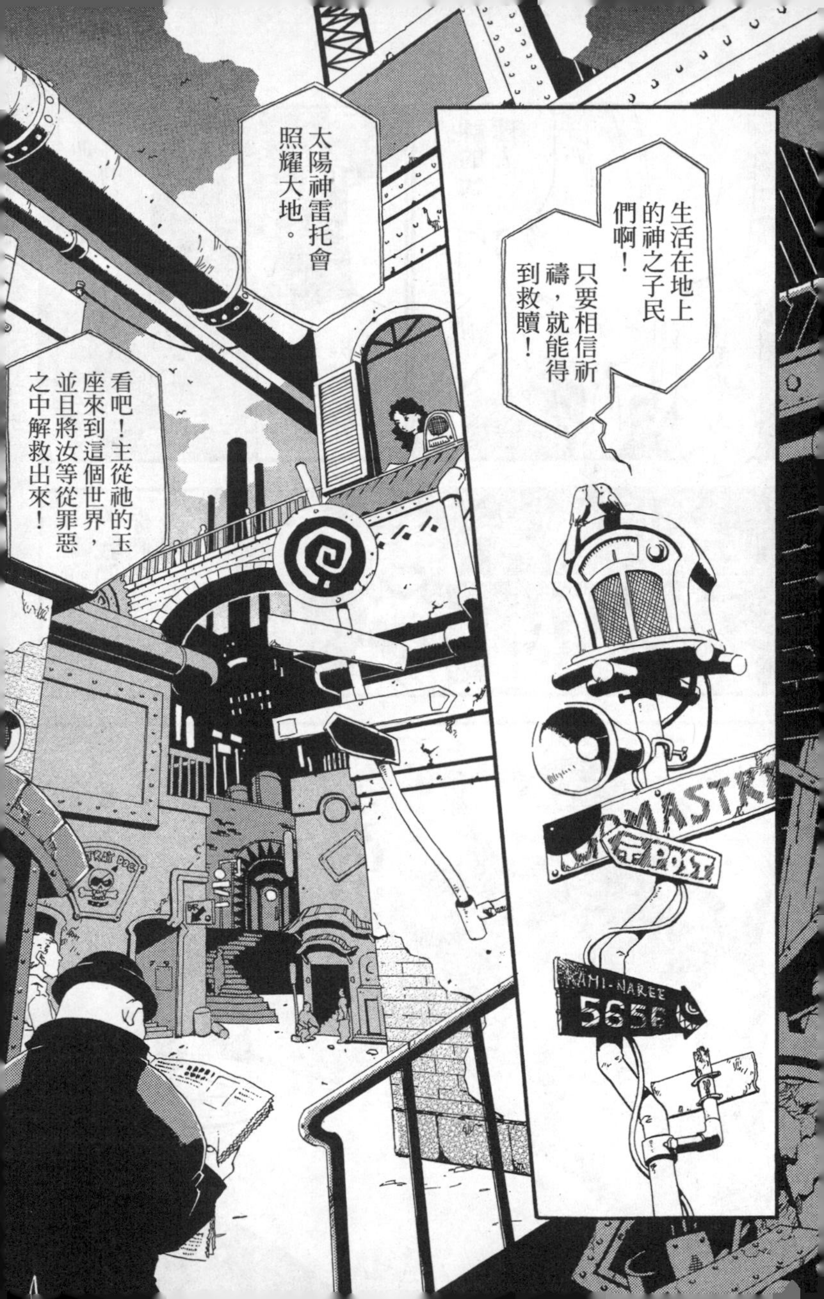

生活在地上的神之子民們啊！
只要相信祈禱，就能得到救贖！
太陽神雷托會照耀大地。
看吧！主從祂的玉座來到這個世界，並且將汝等從罪惡之中解救出來！
POST
KAMI-NAREE

我是太陽神的代理人，也是汝等的父親。
透過收音機做宗教廣播？
神的代理人…
什麼啊？

對我們來說…你們才算是怪人呢。

你們是街頭藝人之類的嗎？
ごぶばっ

大叔，我們哪裡看起來像街頭藝人啊？
太陽神…
怎麼看都像啊…
是盔甲耶！
好棒喔！
好大喔！

我沒看過你們…
你們正在旅行嗎？
是啊，我們正在找東西。
這個廣播是怎麼一回事啊？
汝等的父親。
你們不認識柯奈洛教主殿下嗎？
他是誰啊？
柯奈洛教主殿下是太陽神雷托的代理人喔！

他是「奇蹟之術」的雷托教教主殿下呢！
幾年前他出現在這個地方，並且對我們傳教，是個非常了不起的人！
他真的很厲害喔！
那真的是奇蹟！真的是神的技術啊！

小老弟，你根本沒在聽嘛…
ぐでー
是啊。我對宗教沒興趣。

吃飽了…走吧。
嗯…
碰！

啊…
ぽと
啊——！

老兄！你怎麼這樣啊！
你這個樣子在外面走動就已經夠…
抱歉，我馬上幫你修好。
啊…收音機摔壞了。

「馬上」修好？
看著吧。
かきかき

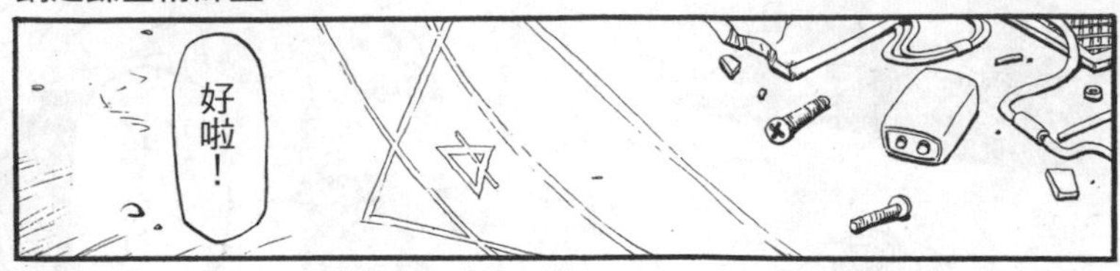
好啦！

要開始囉！
？

嗚啊！

這…

這樣就行了嗎？

真是驚人啊…
汝等要接受神的教誨，為神犧牲奉獻…

你會用「奇蹟之術」嗎？

什麼啊？

我們是鍊金術師。
愛力克兄弟這個名字…應該非常有名吧？

愛力克…愛力克兄弟？
沒錯！我確實聽說過！
ざわっ
我記得哥哥是國家鍊金術師……

「鋼之鍊金術師」
愛德華・愛力克！
YES!
你就是傳聞中的那個天才鍊金術師啊！
わっ
原來如此…因為穿著盔甲，所以綽號就是「鋼」啊！
好厲害喔！
幫我簽名！
不好意思…那個人並不是我…
咦？
是那個小個子？

你說誰是超級矮子啊！
がっしゃーっ
沒說得這麼過分啊！

我是弟弟阿爾馮斯・愛力克。
而我就是「鋼之鍊金術師」－！愛德華・愛力克！

對…

對不起…

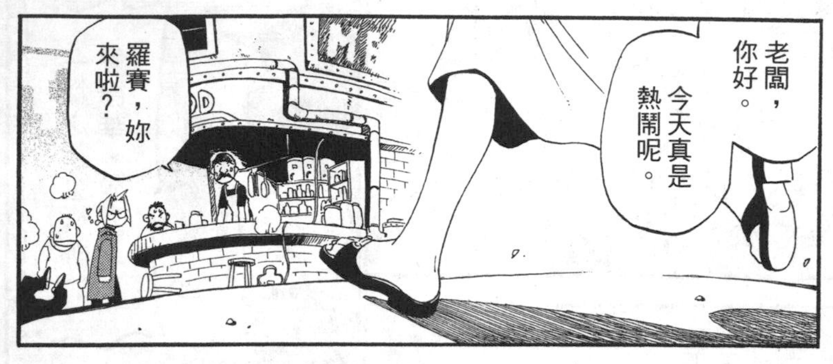
老闆，你好。
今天真是熱鬧呢。
羅賽，妳來啦？

今天也要去教會嗎？
是啊，我想買些供品帶去。
還是要買那些東西。
咦？我沒看過你們呢…
他們是鍊金術師，據說是為了找東西而來到這裡的。

希望你們能找到自己想找的東西…
雷托神會保佑你們的！
羅賽也變得很開朗了呢。
是啊，這都多虧了教主殿下呢。

什麼啊？
她沒有任何親人，而且去年她的男朋友又意外身亡…
那時候她真的很沮喪，大家都覺得她很可憐呢。

當時解救了她的就是身為造物主—太陽神雷托之代理人的柯奈洛教主所傳播的教義！
太陽神會賦予活著的人永遠不滅的靈魂，並且讓死者復活…
「奇蹟之術」就證明了這件事情。
你最好找個機會去看看喔！那真的是神的力量呢！
「讓死者復活」啊…
真是可疑。
相信祈禱吧！
這樣汝等的願望就會實現！

希望所有子民都能夠感受到光之恩寵…
カチ。
OFF
ON
OFF
教主殿下，辛苦您了。
教主殿下，感謝您今天也說出如此如此可喜可賀的話！
教主殿下！

羅賽，妳一直都這麼虔誠…真是了不起啊。
不…這是理所當然的嘛。
我想請問一下…
什麼時候才能夠…

我知道妳想說什麼。
神都看到了妳所做的善行。
那麼…

但是…現在還不是時候。
懂了嗎？
嗯？
──說…
說得也是…現在還…
沒錯…羅賽，妳真是個好孩子。

咦？你們不是剛才的那兩個人嗎？

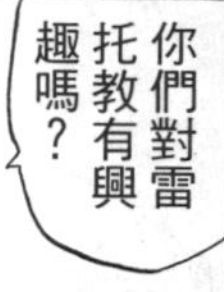
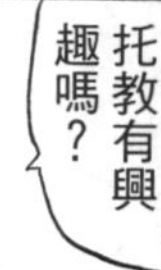
你們對雷托教有興趣嗎？

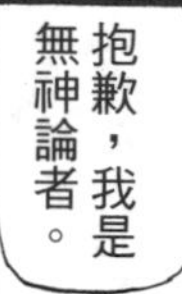
抱歉，我是無神論者。

這怎麼行呢？相信神就可以讓你每天都感受到感謝與希望…是一件非常美好的事情！

只要相信神，你就一定會長高！
力說
妳說什麼？
別衝動…
她沒有惡意啦。

真是的…妳居然能夠這麼相信宗教啊…

妳認為只要跟神祈禱，死人就會復活嗎？

「不足的部份」到底是什麼……

科學家們從幾百年前開始就一直在研究，卻還沒有解開這麼謎題。

雖然這被稱為毫無成果的努力，但我認為這至少比一直祈禱，並且等待結果出現的做法還要有意義。

順帶一提的是…這些成份材料，
只要帶一點錢到市場去，就可以全部買到呢！
可見人類是多麼不值錢的東西。
！
人類不是東西！你這是在褻瀆造物主！會遭到天譴的！
哈哈哈！

鍊金術師是科學家，所以不會相信造物主或神這種曖昧的東西。
火大

揭開這世上所有物質的創造原理，並且追求真理…

從某個角度來說，我們這些不相信神的科學家，說不定就是最接近神的存在呢。真是諷刺啊…

真是高傲…
你認為自己與神相同嗎？

我記得曾經有個神話提到…
「太過於接近太陽的英雄，因為用蠟作成的翅膀被融化掉而摔落地面」…

？

ワッ
教主殿下！
是奇蹟之術啊！
教主殿下！
シュウウウウ
ボッ

你覺得呢？

從那個反應來看…他用的應該是鍊金術。
是啊…

不過法則卻…
啊

你們都來啦？
怎麼樣？那就是奇蹟的力量吧？柯奈洛殿下是太陽神之子喔！

不…那根本就是鍊金術。
柯奈洛那傢伙是個騙子。

不過…他無視於法則呢。
是啊—真是的…
法則？

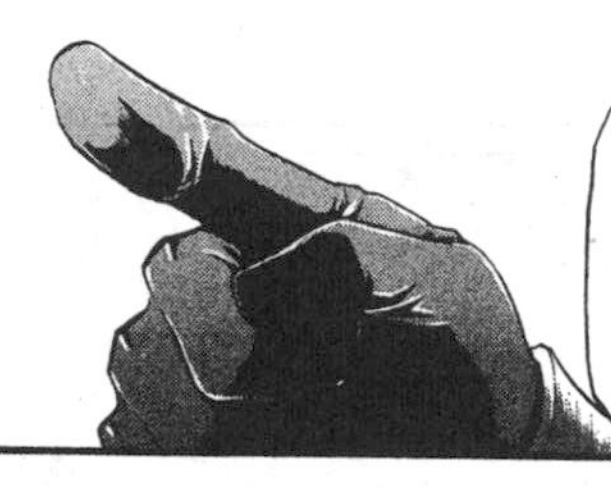
一般人會認為鍊金術是一種能夠無限制的變出任何東西的便利法術，
但實際上…鍊金術是存在著法則的。

簡單的說…就是質量不滅的法則與自然道理的法則吧？
？
？
？
ぐーる
ぐーる
嗯…
也就是說我們只能從質量為一的東西鍊成質量同樣為一的東西，也只能從具有水之性質的東西鍊成同具有水之屬性的東西。
雖然有些術師可以調和四大元素或三原質…

鍊金術的基本法則就是「等價交換」！
如果要得到某樣東西，就必須要付出同等的代價。

而那個大叔卻能夠無視於這個法則進行鍊成…
你們為什麼就不願意相信那是奇蹟之術呢？

哥哥？說不定…
沒錯…說不定…

真的找到了！

大姊，我對這個宗教產生興趣了！
我希望能夠跟教主殿下談談，能不能請妳帶我去找他呢？
くる
你終於願意相信啦？

カラーン
カラーン
教主，有人要求要見您。

是一個小孩子與穿著盔甲的人，他們說他們叫做愛力克兄弟…
什麼？我忙得很，請他們回去吧。

！
等一下…愛力克兄弟？
難道是愛德華・愛力克？
是的…我記得那個小孩子說自己叫做那個名字…您認識他嗎？
大事不妙了…

他就是「鋼之鍊金術師」愛德華・愛力克！
!!
什麼？他是個這麼矮小的小鬼啊？不會吧？
笨蛋！鍊金術跟年齡沒有關係！

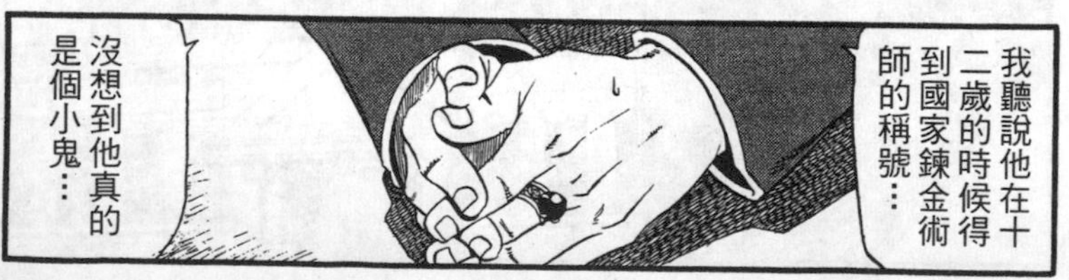
我聽說他在十二歲的時候得到國家鍊金術師的稱號…
沒想到他真的是個小鬼…

為什麼國家鍊金術師會跑來這裡？
難道是我們的計畫被…
沒想到軍方走狗的鼻子這麼靈敏…
要把他趕走嗎？
不…這樣反而會被懷疑。
而且即使把他趕走，他應該還是會再來找我們。

如果他……
根本沒有來到這裡呢？

！

就依照神的想法去做吧…
ニヤリ
請跟我來。

教主殿下是很忙的，根本沒什麼時間…你們的運氣算是很好呢。

碰！
真不好意思啊。我會長話短說的。

是啊…我會馬上讓事情結束的…
不過是用這種方法！

ガッ
！
師兄！你幹什麼？
羅賽，這些人是想要陷害教主殿下的異教徒…他們是壞人。
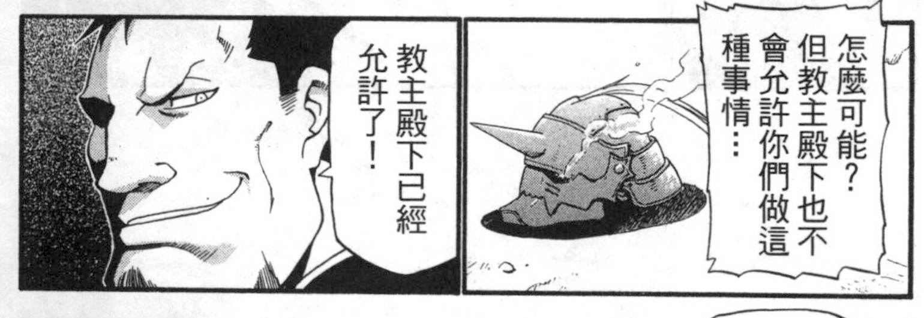
怎麼可能？但教主殿下也不會允許你們做這種事情…
教主殿下已經允許了！

教主殿下的話就是神的話…
這就是神的意思！
ズチャ
唉……

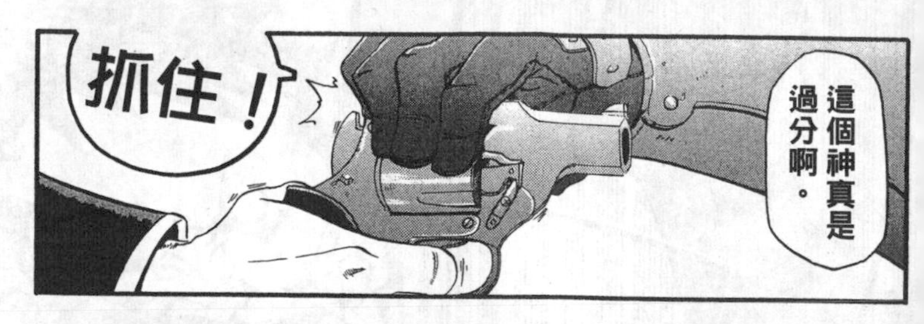
這個神真是過分啊。
抓住！

怎麼會…
抓住！

嗚啊啊啊啊啊！
がいん
嗚喔！

太棒啦！
好球！
我的頭！
怎…怎…
怎麼會這樣！

沒什麼…
就是這樣啦！
喀喀！

裡…
裡面是…
空的？

這是因為…
ガチ
我們犯下了踏入人類不可入侵之神聖領域的罪行。

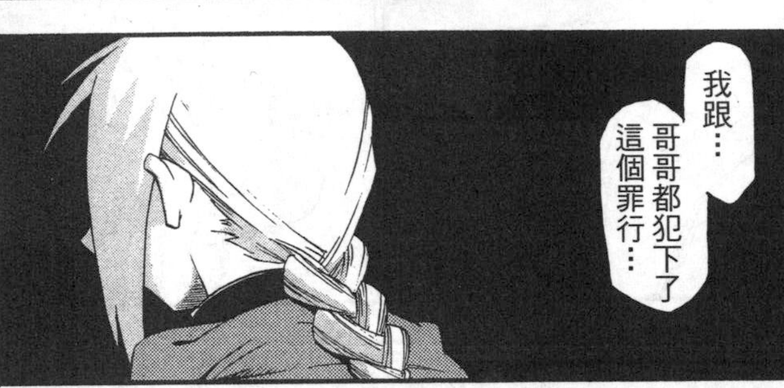
我跟…哥哥都犯下了這個罪行…

愛德華也…

先不管這件事啦…
ぼり
ぼり

不過現在已經知道神的…真面目了。

怎麼可能！你們搞錯了啦！
真是的…他們做得這麼過分，妳還想相信這個騙子啊！

羅賽，妳有勇氣看看真相嗎？

這裡就是羅賽說的教主的房間嗎？

好啦…
嘰…

ギィィ……

哼…他要我們進去啊…

ギィ バタン

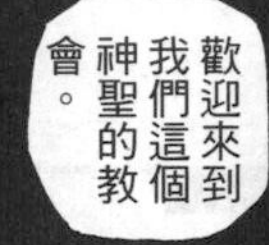
歡迎來到我們這個神聖的教會。

你們是來聽教義的嗎？

是啊…希望你能夠告訴我們…

怎麼用鍊金術欺騙信徒！
……你在說什麼啊？
請你別把我用的「奇蹟之術」跟鍊金術混為一談。
你只要看過一次就知道了…
我已經看過啦。
但我比較想在意的是…你居然能夠在無視於法則的狀態下進行鍊成。
我說過這不是鍊金術…
所以我就想到…
你應該是用了…
「賢者之石」吧？
ぴく
你的戒指…應該就是那東西吧？

唉…真不愧是國家鍊金術師…
所有的事情早就都被你看穿了…
ぴくぴく
沒錯！
這是個只會出現在傳說中的夢幻之術法增幅器…
我們鍊金術師只要用了這東西，就可以讓自己在只付出些微代價的狀況下，進行大規模的鍊成。
我一直在找那東西呢！

那你呢？你當個騙人的教主…到底是想得到什麼？

只要利用那顆石頭，就可以源源不絕的得到金錢。

我要的不是金錢…

不…我也想得到金錢，但即使我不自己動手，還是能夠得到金錢…因為信徒會捐款給我。

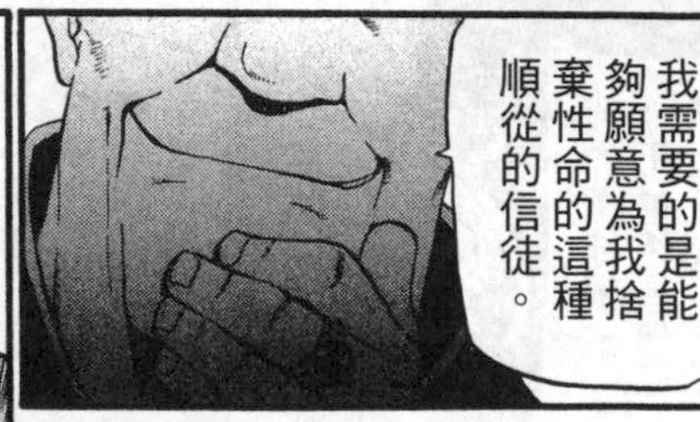

這種事情根本不重要啦。
ぺいっ
什麼？
你居然說我的野心「根本不重要」？
你…你不是國家…也是軍方的人嗎？
老實說…我根本就不想去管國家或軍方。

我就直說好了…把賢者之石給我！
這樣我就不會告訴鎮上的人你是個騙子。

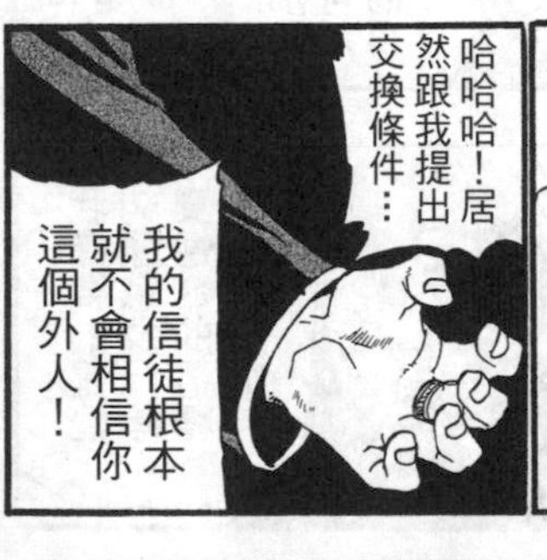
哈哈哈！居然跟我提出交換條件…
我的信徒根本就不會相信你這個外人！

他們非常相信我！是對我非常忠實的奴隸！
即使你把這些事情說出來，他們還是不會相信你！

沒錯！那些愚笨的信徒完全都被我騙了！
うはははははは

真不愧是教主殿下啊…
パチパチ
說得真是對極了。
你的信徒們確實不會相信我所說的話…
啪！
但是…

ガシャ！
大家就會相信她所說的話吧？

羅…羅賽？
這到底是怎麼一回事…

哇……
教主殿下！您說的話都是真的嗎？
您真的是在欺騙我們嗎？
奇蹟之術…神的力量根本就沒辦法實現我的願望嗎？

您沒辦法讓那個人復活嗎？
哼…我確實騙大家說我是神的代理人…

但是只要有這顆石頭，那麼我應該就能成功的做到目前為止，許多鍊金術師一直無法成功的人體鍊成…

而且也有可能能夠讓妳的男朋友復活！

羅賽，妳不能相信他的話！

羅賽，妳是個好孩子…過來吧。

如果妳到他身邊去，就沒有辦法再回來了！

怎麼了？妳不是我們教團的人嗎？

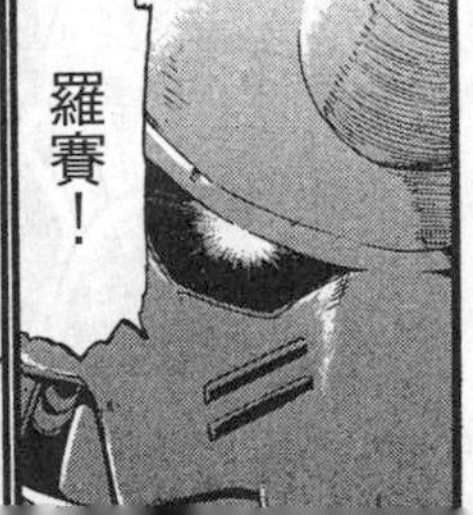
羅賽！

只有我能夠實現妳的願望…不是嗎？
快想起妳最深愛的男朋友吧！

快啊！

對不起…

雖然知道了真相…
但我還是只能這麼做…
妳真的是個聽話的好孩子…

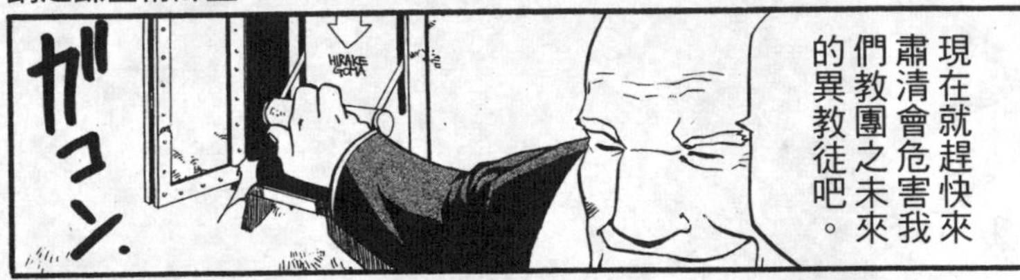

現在就趕快來肅清會危害我們教團之未來的異教徒吧。
ガコン
HIRAKE GOMA

ギギギ
ガシャン
ドシン
ゴゴゴゴ
ゴゴゴ

這個賢者之石是一種非常驚人的東西，
ウフガ
居然能夠鍊成這種東西…
ズシン
你們沒看過合成獸吧？

ぐ
おるるるるるる

ヒュー
看來赤手空拳要戰勝這東西有點困難…
…好吧
ぺた
?

!?
パキ
ペキ
ペキ
嗯…沒畫出鍊成陣就直接從地板的石頭鍊成武器……
國家鍊金術師的實力果然名不虛傳！
不過…你太天真了！

嗚…

哈哈哈哈哈！怎麼樣？那個連鐵都能抓斷的爪子很厲害吧？
愛德華！

沒什麼啦！

ベキ
!!?
吼喔!

真可惜，我的腳可是特製的呢。

怎麼了?既然沒辦法抓傷他，那就咬死他啊!

吼喔喔喔
喔喔喔！

嗚……
嗚……
吼喔……
吼……
嗚……
!?
嗚嗚—
嗚嗚嗚—

怎麼啦？小貓？好好的品嚐一下啊……
吼？
喀…

啪！
羅賽，仔細看吧…

這就是做了
人體鍊成…
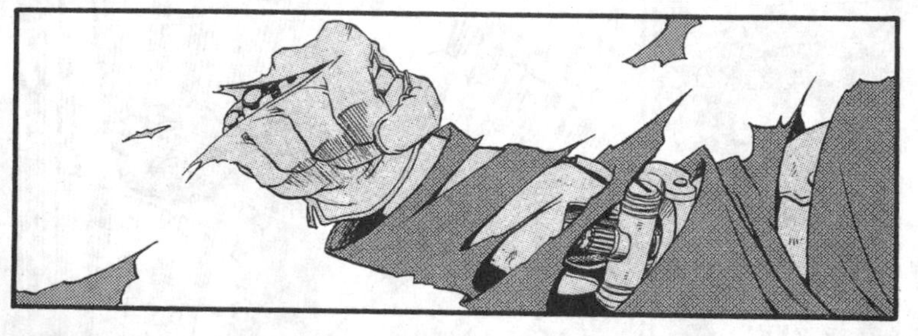
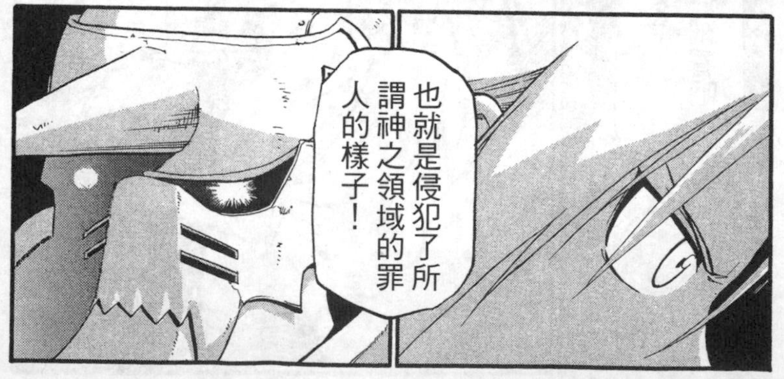
也就是侵犯了所
謂神之領域的罪
人的樣子！

……
鋼之義肢「機械鎧」…
啪…

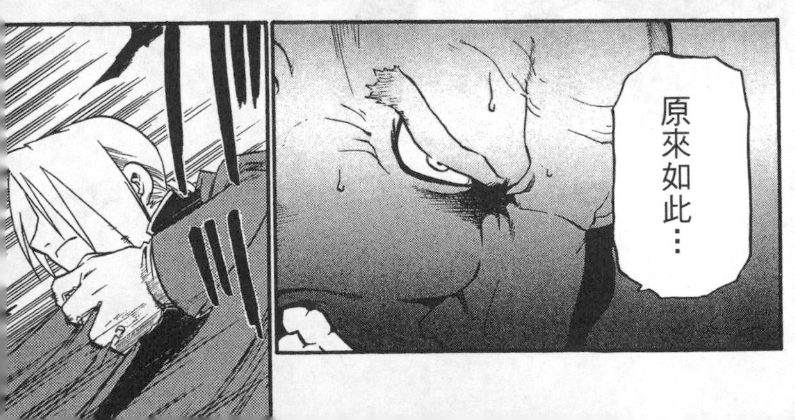
原來如此…

鋼之鍊金術師！

三流的鍊金術師！下來吧！
我要讓你見識一下我們的實力到底差多少！

FULLMETAL
ALCHEMIST

原來如此…你…

我一直覺得很不可思議…為什麼你這個小鬼能夠得到「鋼」這個勇猛的綽號…

原來如此…

羅賽，這兩個人…曾經做過被鍊金術師之間的不成文規定禁止的「人體鍊成」…

他們犯下了
最大的禁忌！

# 第2話 生命的代價

「太過於接近太陽的英雄，因為用蠟作成的翅膀被融化掉而摔落地面」……

阿爾！
阿爾！
阿爾馮斯！

哥哥，怎麼了？
你看！這個理論是很完美的！
難道…這個理論…

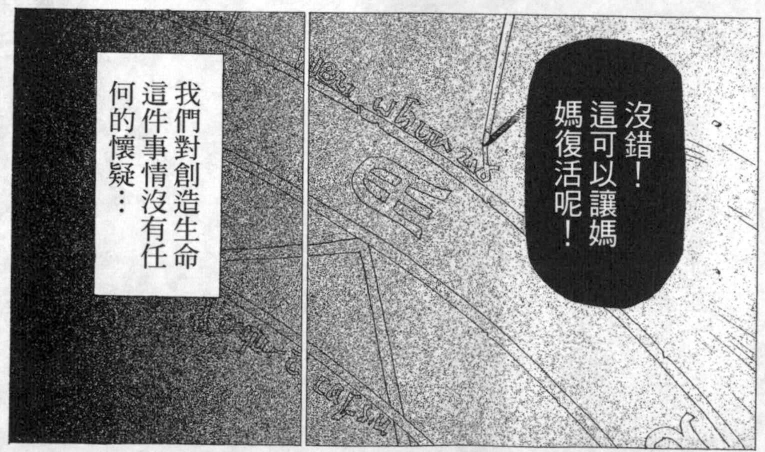
沒錯！這可以讓媽媽復活呢！
我們對創造生命這件事情沒有任何的懷疑…

她真的是個很體貼的媽媽…
我們只是想再看到媽媽的笑容而已。

即使那已經犯了鍊金術的禁忌…
但我們只是為了達到這個目的而學習鍊金術…

但是鍊成卻失敗了。

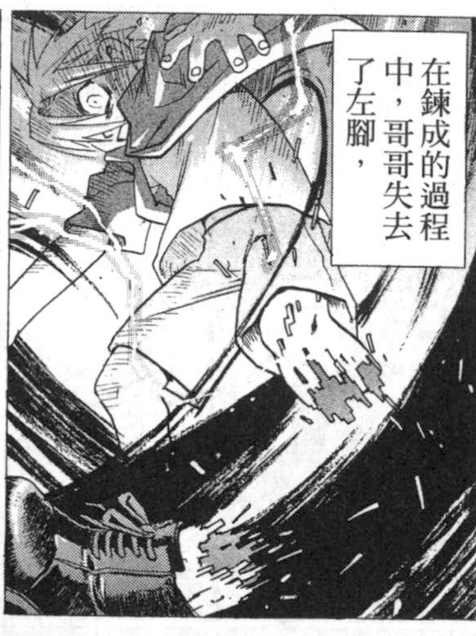
在鍊成的過程中，哥哥失去了左腳，

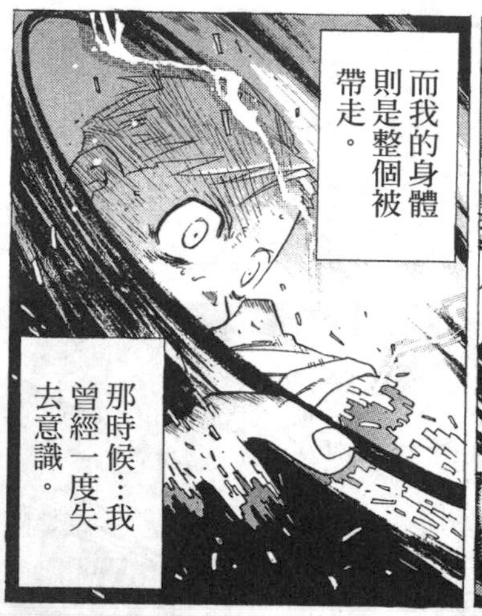
而我的身體則是整個被帶走。
那時候…我曾經一度失去意識。

接下來當我張開眼睛之後，我所看到的是這個用盔甲作成的身體，以及倒臥在血泊中的…

對不起…
失去一隻右手只能鍊成你的靈魂…
你太亂來了吧！

哥哥受了重傷，而且失去左腳…
然後他又藉由失去自己的右手來鍊成我的靈魂，並且把我的靈魂安置在這個盔甲裡。

嘻嘻…
我們兩個人要讓一個人復活都搞成這樣了…
羅賽，讓死人復活就是這麼一回事，

而妳真的已經做好這種覺悟了嗎？
びく

嘻嘻嘻…愛德華‧愛力克，你這樣還有資格成為國家鍊金術師啊？
真是笑死人了！

少囉唆！你這個沒有石頭就做不到任何事情的廢物！

難怪你會想要得到賢者之石啊。
說得也是…只要用了這東西，說不定就能讓人體鍊成成功呢。
くっくっく
死禿驢！別會錯意了！我們想得到石頭是因為希望能夠讓自己的身體恢復原狀！

不過…這也只是有可能而已…

教主先生，我再說一次…
我們希望你在還沒有嚐到苦頭之前，乖乖的把石頭交給我們。

嘻嘻嘻…因為太過於接近神而墜落地面的兩個蠢蛋…
ズアアアアア
這次就由我來確實的把你們給…

送到神身邊去吧！
ガシャ
ガガガガガガガガ

哈哈哈哈哈哈哈哈哈哈！
ガガガガガガガガガ

嗯？

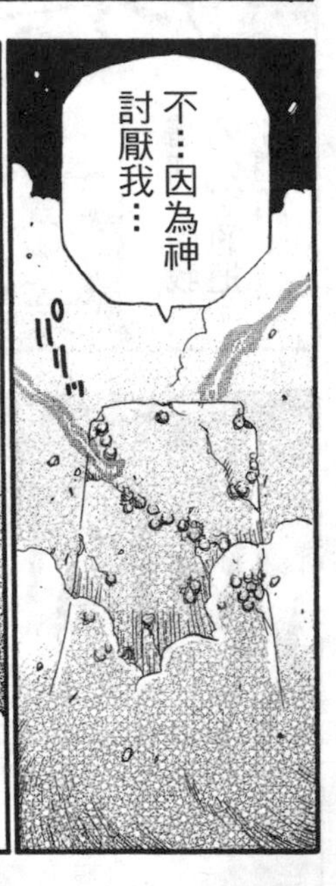
不…因為神討厭我…
パリリッ

所以即使你把我送到祂身邊去，我還是會被趕回來吧？
シュウウウウウウ

可惡！

ドドッ
!?
ばっ
混蛋…

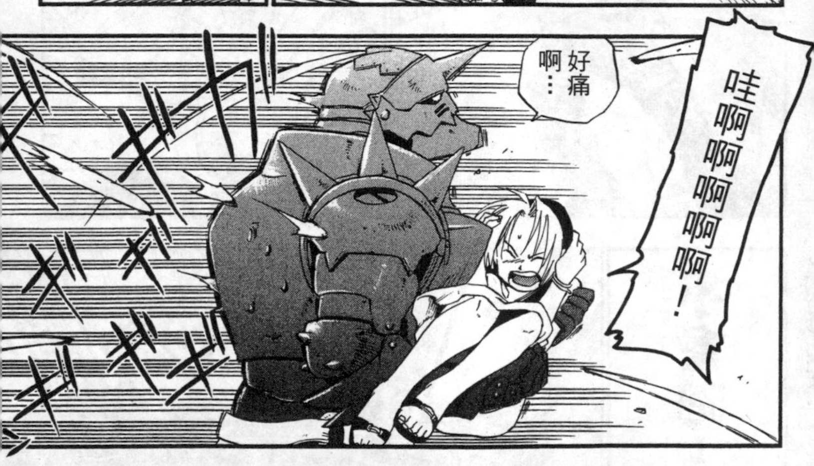
哇啊啊啊啊啊！
好痛啊…

阿爾，先出去再說吧！
笨蛋！出口的門是由我來操縱的！

喔，是嗎？
不會吧！

既然沒有出口…
那就自己做吧！

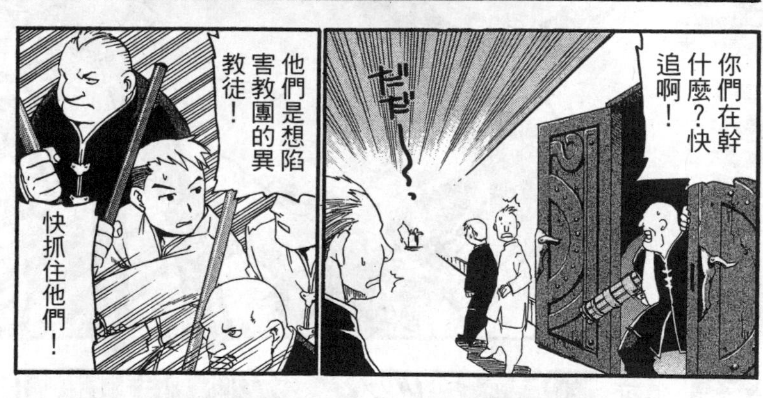
你們在幹什麼?快追啊！
他們是想陷害教團的異教徒！
快抓住他們！

他們在這！
快停下來！
小子…你想赤手空拳對付這麼多人啊？
最好在還沒有受傷之前，乖乖的束手就擒…

啪!
咦?
ドカ
ドカ
ドカ
可惡…他們很強啊!
別因為他們是小孩子就輕敵!

別擋路
飛踢
ドッ
ぴゅ～
真過分…

咦？

這個房間是…
這是廣播室，教主殿下就是在這裡透過收音機傳教的…

真的嗎？
啊…他想到鬼點子了…

今天下面怎麼
那麼吵啊？

喂！你在
幹嘛啊？
敲鐘的時間
早就過啦！

鐘…
嗯？

鐘不見了…
什麼？

雖然他剛剛說
過了，但我還
是不相信…
鍊成居然要付
出那麼沈重的
代價…
ド
哥哥不是說過
鍊金術的基本
法則就是「等
價交換」嗎？

要得到某樣東西，就必須付出同等的代價。
雖然大家都說哥哥是「天才」，但這是因為他付出了「努力」這個代價，才會變成現在這個樣子。

既然你們付出了這麼沈重的代價，那麼令堂應該…
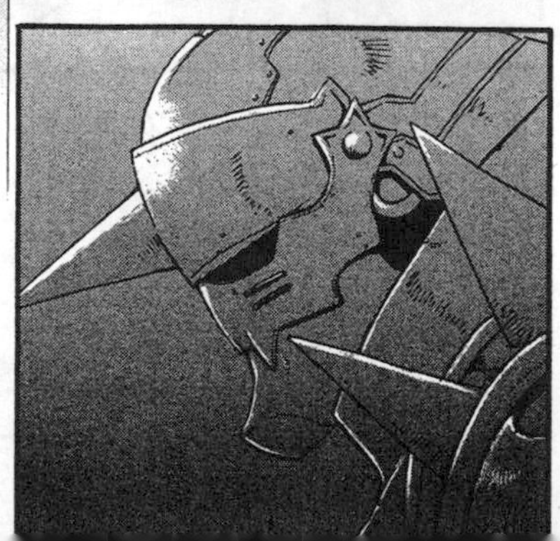

媽媽根本就不成人形…

……!!

但是我們剛剛也說過…這個代價還是非常的沈重…

說不定會因為遭到報應而喪命。

我們選擇走上的就是這種必須要背負著罪過的路。

所以…
羅賽，
妳絕對不能進
入這種世界。

小子…別想
再逃走了！
ぜはー
ぜはー
ぜー

我看你最好放棄了
吧？反正過沒多久
之後，鎮上的人就
知道你在說謊了。
這是不可能的事情！
教會裡的人全都是我
直屬的部下！那些愚
笨的信徒也不可能會
去操作情報！

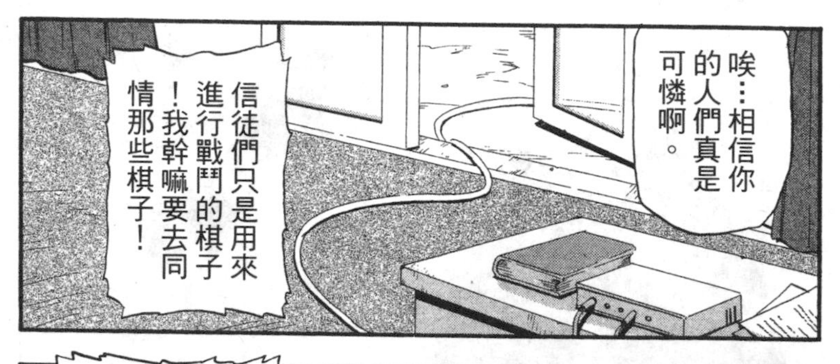
唉…相信你的人們真是可憐啊。
信徒們只是用來進行戰鬥的棋子！我幹嘛要去同情那些棋子！

而且讓他們相信自己是為了神幸福的死去…這就是他們自己希望的事情！
にやにや
只要能夠大量生產分不清楚鍊金術與奇蹟之術的信徒，就隨時有大量的棋子可以利用！

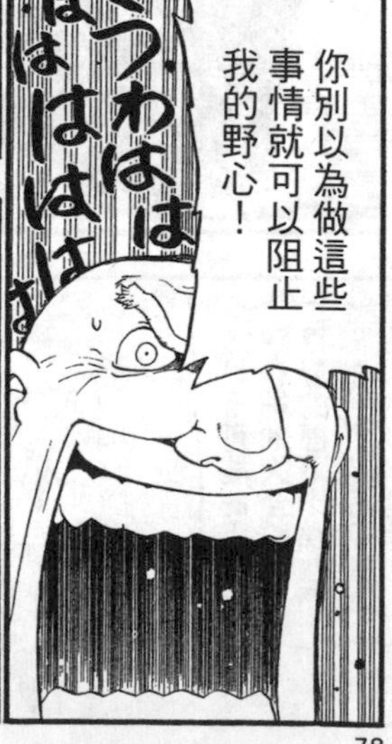
你別以為做這些事情就可以阻止我的野心！
うわははははは

嘻嘻…

哈哈哈哈哈哈哈哈哈！
有什麼好笑的？

くっくっ
禿驢…難怪你是個三流的鍊金術師！

小子…你還敢罵我？

這是什麼啊♪
ON
OFF

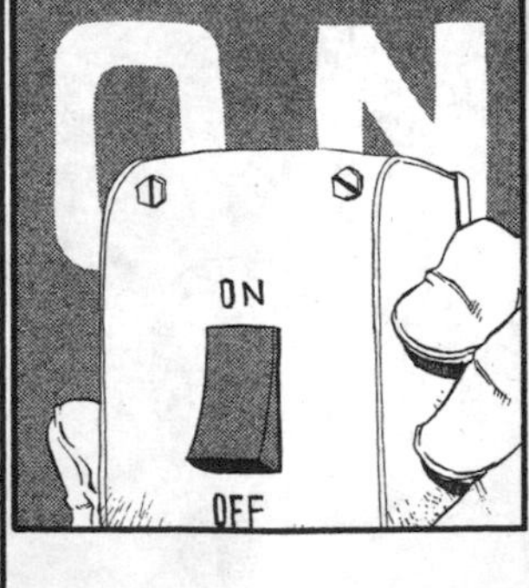
ON
ON
OFF

難……

難道…
你這傢伙——!!!
ビリビリビリ

開關到底是什麼時候打開的？
一開始就打開啦—所以你說的話全部都傳出去囉—
你…你…你…你太過分了！

死小鬼…
我要殺了…
動作太慢啦！

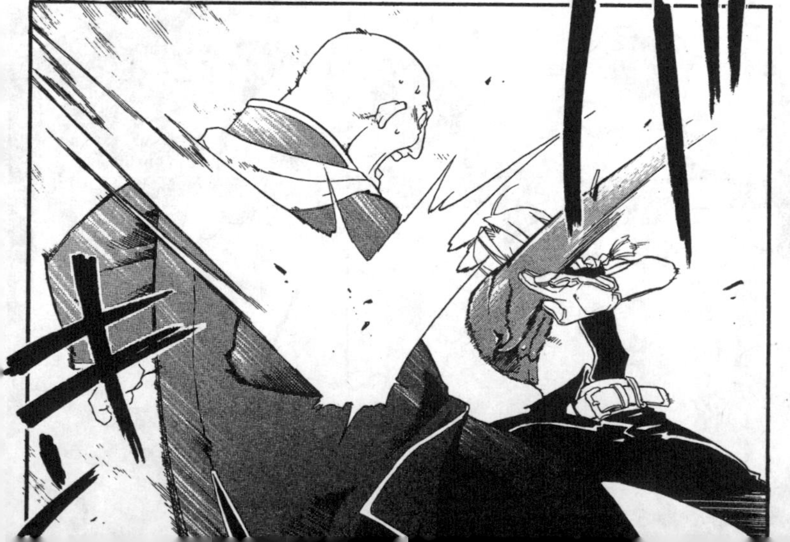

ガラン

我不是說過我們的實力相差很多嗎？

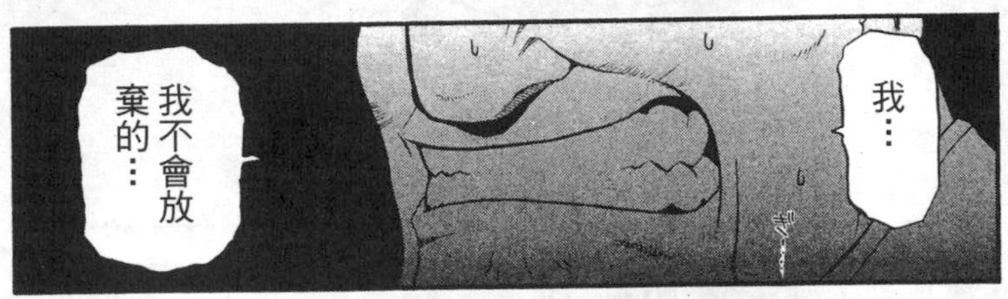
我…
我不會放棄的…

只要有這顆石頭，就可以一直使出奇蹟之術…

可惡…

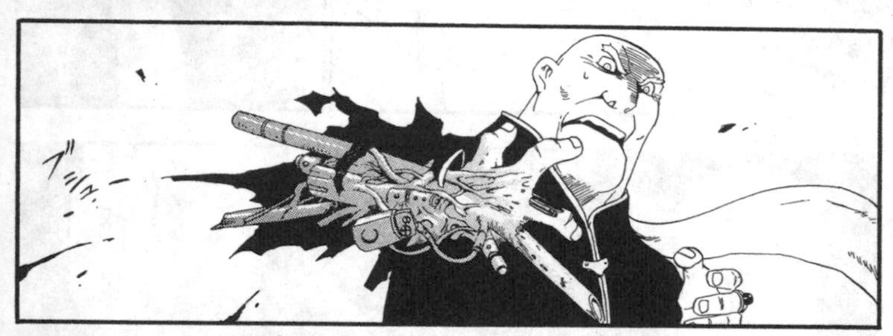

嗚啊啊啊啊啊啊！

我…我的手！
為…
為什麼…
怎麼會…
哇啊啊啊啊
啊啊啊！
好痛啊！

吵死了！
嗚喔！
讓我看看賢者之石吧！
啪！
這只不過是反彈反應而已！
失去一、兩隻手有什麼好叫的！
啊…啊…
你…你要看石頭？

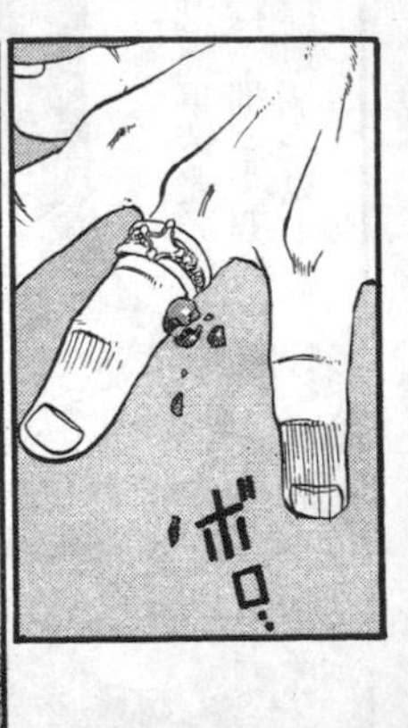
ボロ…

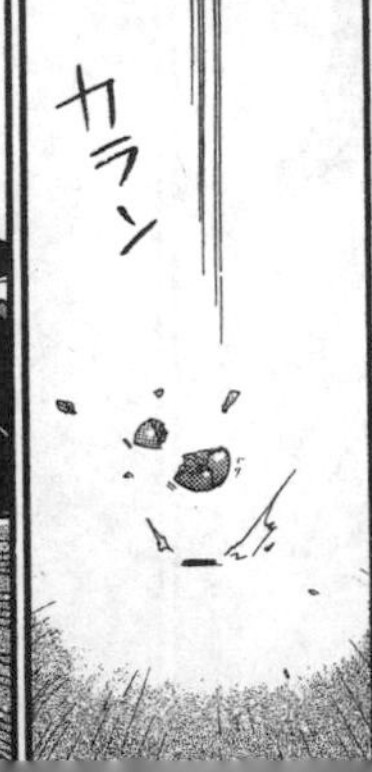
カラン

壞掉了…
這是怎麼一回事?「完全物質」應該是賢者之石怎麼會壞掉?
我…我不知道!什麼都沒聽說啊!

請…請你放過我…是我不對!
這是假的?
沒有了石頭…我就做不到任何事情了。請放了我—
千里迢迢來到這裡…
還以為終於可以恢復原狀了…
居然是假的…
ヨロ…

どーん
嘻嘻嘻…有機可趁!
既然事情變成這樣…那至少要殺掉這個小鬼!
好機會!

大叔⋯你啊⋯
嚇一跳
什麼事？
不只是騙了鎮上的人，而且還想殺了我們⋯
咦⋯？

而且讓我們花了這麼多工夫，最後才讓我們發現「賢者之石根本是假的」？
喔？
嗚啊！

パキ
パキ
パキ
ぐらあ
開什麼玩笑啊！

接受神的制裁吧！
天啊…

假的？
是啊…害我們白跑一趟…

我還以為終於可以讓你的身體恢復原狀了呢…
你應該要先恢復原狀吧…身上穿戴著機械鎧是很辛苦的。

沒辦法…只好繼續找了…

怎麼會這樣…

不可能啊…因為…
他跟我說能夠讓死人復活…

羅賽，放棄吧。其實本來就…
你太過分了…

這樣子
我以後…
要靠什麼活
下去啊？

快告訴我！
告訴我啊！
這種事情…
妳要自己去想。

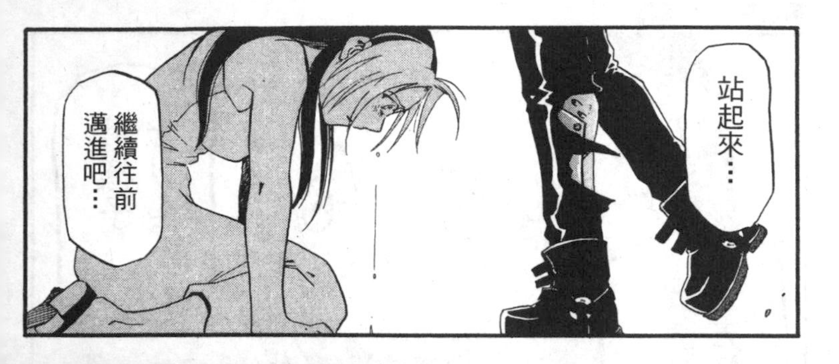
站起來…
繼續往前
邁進吧…

妳有著一雙
健全的腳。

教主！滾出來！
這是怎麼一回事！
你真的騙了我們嗎？
快開門！
出來解釋啊！
呼……
呼……
可惡……

那個小子居然把我的野心給……
開什麼玩笑！
他根本就不知道我投資了多少心力……

是啊……好不容易讓事情進行得這麼順利，結果全都搞砸了。

我們好久沒來了…結果居然爆發出這種騷動，
真是個沒用的教主呢。

你…你們…這是怎麼一回事？

妳給我的賢者之石…居然壞掉了！
妳居然給我那種冒牌貨！
真是的…我怎麼可能會給你這種人真正的賢者之石呢？

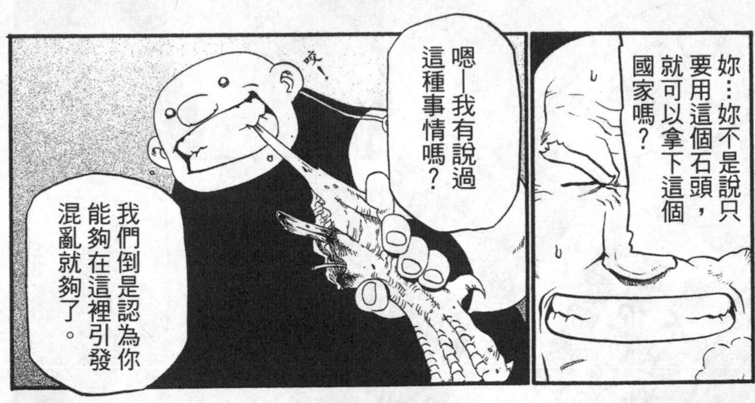
妳…妳不是說只要用這個石頭，就可以拿下這個國家嗎？
嗯—我有說過這種事情嗎？
咬！
我們倒是認為你能夠在這裡引發混亂就夠了。

難道你真的認為你這個三流的鍊金術師，真的能夠成為一國之主嗎？
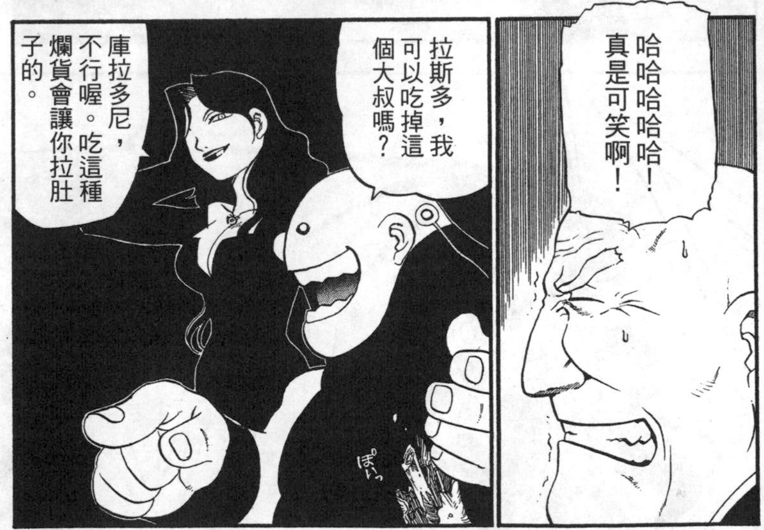
哈哈哈哈哈！真是可笑啊！
拉斯多，我可以吃掉這個大叔嗎？
庫拉多尼，不行喔。吃這種爛貨會讓你拉肚子的。

這種三流…
不，四流的傢伙根本就不好吃。
嗚喔喔喔喔！居然都每個人都看不起我！
ス…

ガッ

你已經⋯
沒有用了。

ニャ

ズシャ

真是的…好不容易把氣氛炒得這麼熱，現在又要整個重新來過了。
ジャッ
這樣父親大人會生氣的。
ビク、ビクン

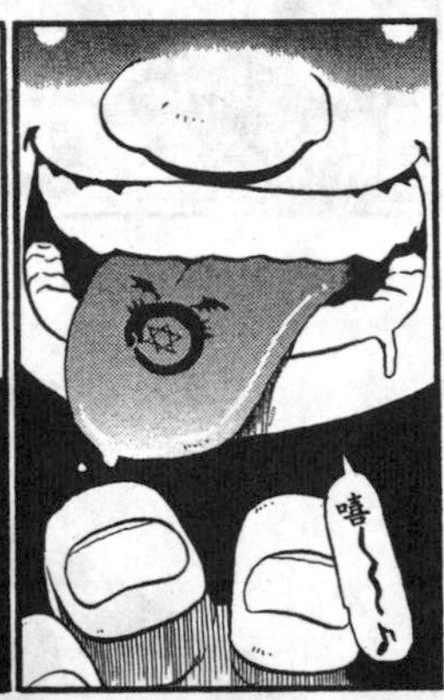
嘻～～♪

接下來要用什麼方法…

ぼりごきん
咦？我不是說過不能吃掉他嗎？

…怎麼一個乘客都沒有啊。
雖然之前就聽說了，只是沒想到這麼誇張…
雖然說來這種地方也不是來觀光的。

「極東城鎮」，

尤斯威爾煤礦。

# 第3話 煤礦城市

ゴウン
我覺得…
ゴウン
ゴウン

說到礦場應該多少有點人氣才對…

大家看起來都很疲倦…

ゴン
哎呀，對不起。

很痛耶，可惡…
喔！
什麼？觀光？
你是哪裡來的？
吃飯了嗎？
已經找好地方睡覺了嗎？
啊！沒有啦。
這個……

老爸！有客人！
我話都還沒說完呢！
啊？什麼事啊，卡耶爾。
有客人！肥羊來了！
你說肥羊是什麼意思啊！
喔！

裡面髒兮兮的，真是抱歉。
礦場的薪水很少，所以就另外開了家店。
你怎麼這麼說呢，老闆！
你不是經常幫助那些薪水微薄的人嗎！
你太太也是很傷腦筋呢！
要你管啊！

敢有意見，那就快點把欠的酒菜錢都還清！
わはははははは
呃，兩位都是住一晚吃兩餐對吧。
多少錢？

很貴的喔？
にやり
別擔心，我有的是錢。
二十萬！

要敲竹槓也得有個限度吧！
你是多加了一個零吧！
所以我才說很貴的啊。
難得有觀光客來，當然要多撈一點才行啊。
開什麼玩笑！我要走了！
逃的掉嗎，大肥羊！
かし
你還是放棄吧，大哥，其他地方也是一樣的。
……錢不夠…
既然這樣，那就用鍊金術把石頭變成金塊吧！
可是國家鍊金法不是規定明文禁止的嗎！
只要不被發現不就得了。
哼哼哼哼哼哼！
大哥你好壞！
老爸！這位大哥是個鍊金術師耶！

哇！

喔——!!

好厲害…
哎呀，太高興了！難得上門的客人竟然是個鍊金術師！
跟新的一樣呢！

我之前也鑽研過一陣子。
不過我本身沒有才能，所以就放棄研究了。
看你是術師的份上，我會算你便宜一點。
我會把你將十字鎬翻新的錢扣除的。
太好了！

我給你打折再打折，算十萬！
還是太貴啦！
對了，我還沒請教大名呢。
是這樣子嗎？
我叫愛德華．愛力克。
さっ
がち

如果鍊金術師
又叫做愛力克
的話——
你是國家鍊
金術師嗎？
ぴく

……算是
啦……
サッ

到底在搞什麼啊！
滾出去！
ペロっ

喂！我們是客人耶！
呸呸呸呸呸！我們這裡沒有給軍隊走狗吃的飯跟睡覺的地方！
啊，我只是一般平民，跟國家毫無關係。
喔，是喔！那你進來吧！
你這叛徒！
ぐわ!!

搞什麼嘛，想說難得有外人來的說⋯
真是掃興。
ドカ
ドカ

你們好像很氣憤。
就是說啊。我們這裡每個人都非常痛恨軍人。
統治這地區的尤基中尉是個視錢如命的傢伙。

他很會賄賂中央的高官。
現在的官職也是花錢買來的。
之前只是個煤礦老闆，他一心只想出人頭地。
呃？那麼這裡是…
沒錯，礦坑是尤基的個人資產。

他掌握了這裡的經營權，給我們的薪水卻微乎其微！
就算跟上頭反應，他們都被尤基賄賂，根本就行不通！
看吧？很差勁吧？
如今又來了一個國家鍊金術師。

「鍊金術師啊，你要替大眾著想」。
那是術師的常識跟驕傲。
為了換取各種特權而把靈魂出賣給軍事國家的人，我是絕對不會原諒的。

咕嚕嚕嚕嚕嚕嚕

肚子好餓喔……
咕嚕——
ぐすぐす
可惡——阿爾這小子——

スッ

這是我偷偷拿出來的。

弟弟啊！
你也太現實了吧—

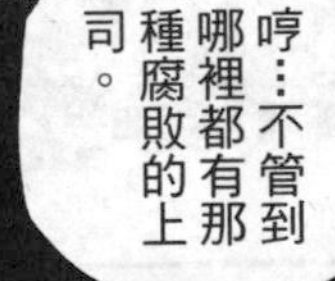
哼…不管到哪裡都有那種腐敗的上司。

所以這裡的糧食不是很充足。

……是喔。

都是尤基中尉害的，連我也跟著倒楣。
連我都討厭起軍隊的人了。
當初決定要成為國家鍊金術師的時候，就已經知道會遭到某些責難了。
沒想到會如此被討厭…

……
我也去取得國家鍊金術師的資格算了。

你還是不要好了！這種罪讓我自己承受就夠了！
說我是軍隊的走狗是吧—
我還真是無話可說。

再加上觸犯了
禁忌身體變成
這樣⋯

師父要是知道
了，不知道會
說什麼⋯
唉⋯

他⋯⋯
他會宰了我
們⋯⋯！
ガチガチガチ
ガチガ

快點讓
開！
ドカドカッ
⋯

你的店還是這麼髒啊，荷林。
…中尉大人，歡迎光臨這令你難受的地方。
客套話就不必了。
最近你們的稅金都延遲繳納喔。
不光是你們，應該算是整個城市都這樣…
很抱歉，因為薪水實在太少了。
哼…可是我看你們還有閒情逸致來這裡喝酒啊…

難道你是說薪水還可以再少一點是嗎？
啊！
可惡……！

開什麼玩笑！
べしょ

中尉！
…這小子！

卡耶爾！

別以為還是孩子我就會同情你！
キュ

給他一點教訓。
!!
!?
…什麼？
斷掉…

你…你這小鬼是哪裡來的？
唉？唉？
嘶
哇！
我只是正好路過而已。

這件事跟你無關，快閃邊去！
不，我都已經看到中尉了，

當然要來打聲招呼囉。

這是什麼東東…

ザッ
大總統勳章加上六芒星的銀懷錶！
中尉，這小鬼是誰啊…
ゴン
好痛！
混帳東西！

你沒聽過國家鍊金術師嗎！那可是大總統直轄的機構呢！
真的嗎？那個矮子他？

這是個好機會…
啊？
如果給他留下一些好印象，說不定能跟中央攀上關係！
我好像聽到他說「矮子」。
喔喔，中尉你真是太機伶了！

我的部下太失禮了。
すすす
我是統治這城市的人，我叫尤基。

能夠在這裡見面也算是種緣分。
不好意思，我們這裡很髒。
來，我們不要待在這種骯髒的地方！雖然是小地方，不過還是有像樣的飯店呢！
那就拜託你了。
這位大叔小氣的很，他還不肯讓我住下來呢。
啥！

你們給我聽著，稅金還是要按時繳納！
バタン
我還會再來的！
嗚哇！氣死我了！
氣誰啊？
他們兩個！

來，不要客氣，你儘管吃吧。

吃的還真是豐盛啊。
市民都沒的吃了說。
說起來真丟臉，目前我還在煩惱如何收稅呢。

而且就如你剛才所見，野蠻的居民很多…
哈哈哈，真是非常不好意思。
你的意思是他們只會主張權利卻不顧納稅的義務是吧。

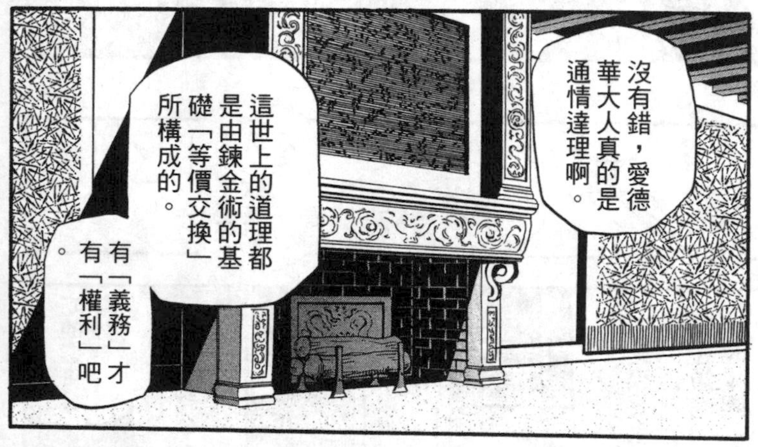
沒有錯，愛德華大人真的是通情達理啊。
這世上的道理都是由鍊金術的基礎「等價交換」所構成的。
有「義務」才有「權利」吧。

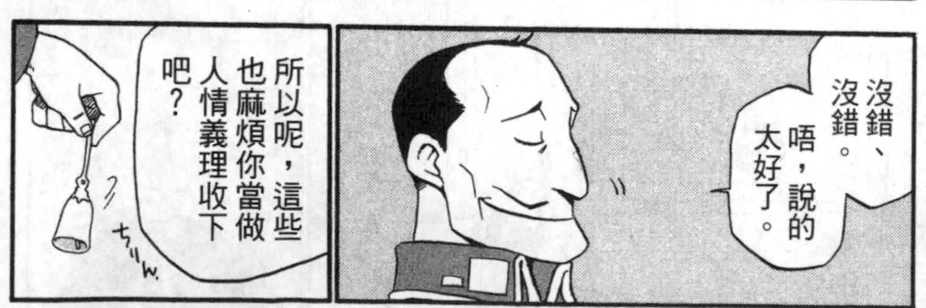
沒錯、沒錯。
唔，說的太好了。
所以呢，這些也麻煩你當做人情義理收下吧？
ちりん

愛德華大人是國家鍊金術師，我想跟上面的人應該很熟吧。

這只是一點小意思…

這東西…
就是所謂的「賄賂」是吧？

這是「一點心意」。

我不想一輩子只當個鄉下的公務員。
這一點希望你能夠了解？

那就好好休息吧。
謝啦。

中尉。

荷林的店裡每天晚上都有不良份子聚集，他們似乎都很不滿。
哼，他們從以前就處處反抗我了。
麻煩死了…

把它燒了。

カン
カン
カン
カン
カン
真過分⋯
昨晚我看到尤基的部下在老爸的店四周徘徊不去。

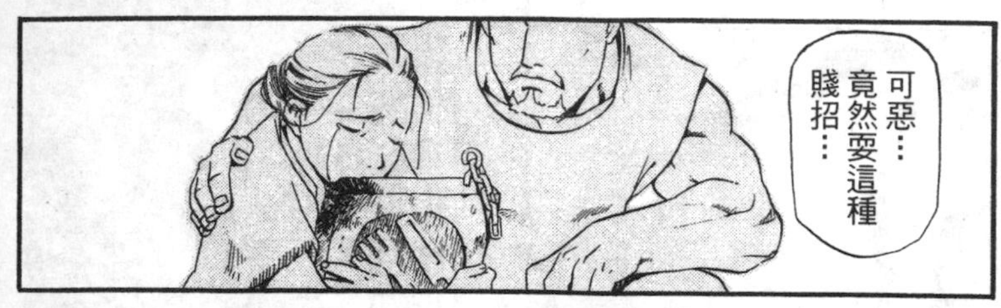
可惡…竟然耍這種賤招…

……老爸他學習鍊金術，也是為了救這城市。

愛德，你不是有實力把東西鍊成黃金嗎？
麻煩你幫幫忙，救救老爸跟這城市…！

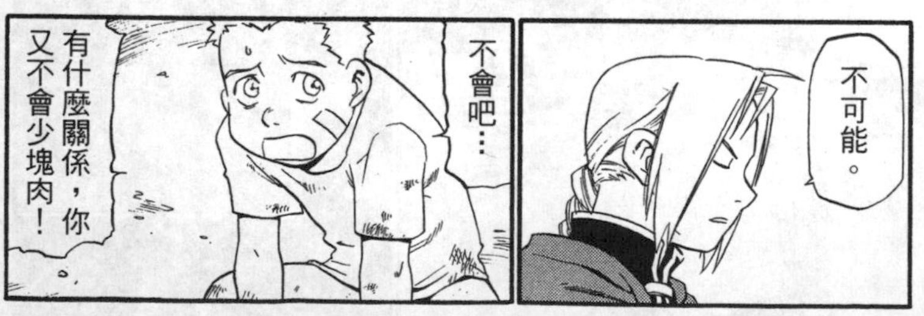
不可能。
不會吧…
有什麼關係，你又不會少塊肉！

你這樣也算鍊金術師嗎！

我要是變出黃金來，還不是被當成稅金拿走。
我可不想只為了暫時渡過難關而去使用它。

既然這麼困擾，那就離開這裡去找別的工作啊。
小鬼，我想你是不會明白的。

礦場是我們的家，
也是墳墓。

大哥，等等我啊！

你真的不管他們了嗎…
阿爾。
你想這兩車※爛石頭大概有多重？
？
1噸吧…或許有2噸吧？

※石炭以外的無用石頭。

好吧，我現在要做一件觸犯法律的事，你就裝做沒看見吧。
嘿咻
啊？

…你是要我成為共犯嗎？
不行嗎？

就算不行，你還不是照做？
只要不被其他人發現就好了嘛。
哎，有個愛惹麻煩的大哥真是辛苦…

……呃……
……

我的意思是希望你把整個礦場的經營權賣給我。

どどん

好多…
全都是真的嗎…？
難道還不夠？
怎怎怎麼會呢！

有了這些，我就能夠擺脫這種窮鄉僻壤了…
接下來再去賄賂政府高官。
……然後
ちら。
我會把中尉你的事跟上面的人好好疏通疏通的。
にっこり

鍊金術師大人！
握住！
哈哈哈！
可是鍊成黃金是違法的…
為了不要穿幫，我希望你就寫張「無條件把經營權轉讓給我」的切結書給我就行了…
喔喔，那當然沒問題啦！那我就快點寫囉…

不過鍊金術師你也真夠壞的了。
呵呵呵！
哼哼哼！
哎呀，哪能跟中尉你比呢。
…
我看他很爽嘛。

為什麼，老爸！
為什麼要阻止？
沒為什麼。我不許你們這麼衝動。
タン！

就算你阻止，我也要拼了。
是啊，我們不能再忍受了。
就算被打，我也要在尤基的臉上狠狠給他一拳！
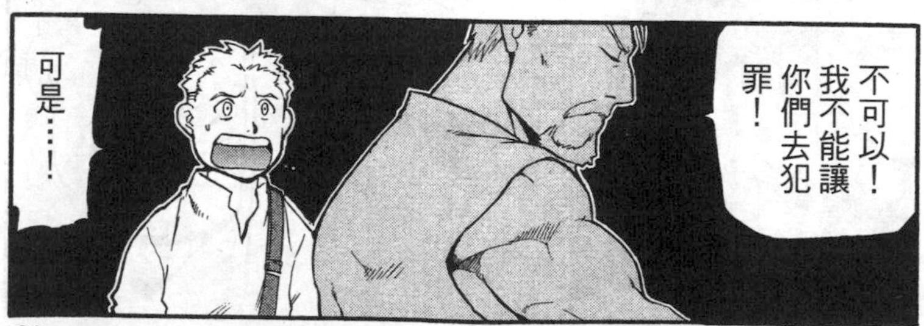
不可以！我不能讓你們去犯罪！
可是…！

在場愁眉苦臉的人，大家好！
…你來做什麼？
哎呀，面對這裡的負責人，怎麼能夠用這種態度呢？

你說什麼…
ばっ
……這是…
這裡的開採、經營、販賣跟其他所有商用途徑的權利書。

為什麼你會有這種東西…
啊——！對象是給愛德華・愛力克？
什麼？

沒錯！所以現在呢！
這礦場就是屬於我的了！
不會吧——！

…話雖如此，我們是四處旅行居無定所的人。
權利書只會給我添麻煩…

…你想把它賣給我們嗎？
你要多少？
很貴的喔？
にやり

想要得到什麼，總是要付出相當的代價吧。
唔……
畢竟它是高級羊皮紙再燙上金箔，
バサ

べらべら
然後保管箱則是把輾碎的翡翠華麗的裝飾上去。
べらべら
嗯，那應該是專門工匠做的。
べらべら
哎呀，鑰匙還是純銀製成的呢。
べらべら
べらべら
就我這個外行人來估算，這些全部的話——

老闆你這裡一晚兩餐兩人份的錢——
你覺得妥當嗎？
啊…等價交換…
哈哈……
哈哈哈哈，的確是很貴！
很好，我買了！
成交啦！
ドンッ

錬金術師大人，這到底是怎麼一回事啊！
哎呀，中尉。我現在正要把權利書賣給這裡的老闆呢。
你說什麼？
先不管這個！當初你給我的金塊，全部都變成石頭了啊！
請你說明一下這是怎麼回事！
…什麼時候變回來的？
就在我們剛才離開的時候。

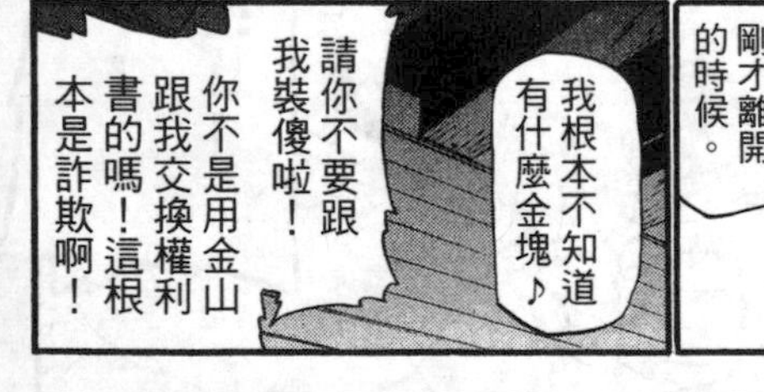

我根本不知道有什麼金塊♪
請你不要跟我裝傻啦！
你不是用金山跟我交換權利書的嗎！這根本是詐欺啊！

哎呀？權利書上寫著你是無條件轉讓的，
你看，還有切結書呢。
啥咪？

嗚嗚嗚…這個交易不算數！
你們幾個！把權利書搶回……
來？
ぬうっ
你怎麼可以用不當手段奪取個人資產呢。
這應該叫做濫用職權吧？
你們少囉唆，讓開！
如果不想受傷的話就快點…

你千萬別小看礦工的體力喔，中尉。
啪嘰！啪嘰！

ドカ
ゴキ
パーン
どて
ぼき
哇！

啊，對了，中尉。
びっくう

にっこ～
中尉你的無能，我會好好跟上面說的。

請多多指教囉！

太好了！
快點拿酒來——！

老爸…

愛德他並沒有連靈魂都出賣了。
不喝的話可就長不大喔！
喝吧！
不要拿酒給未成年的人喝！
是啊，說的也是。
什麼？我在你這個年紀的時候啊…

ぐお———…
我已經吃不下了…
又露出肚子睡覺！真是太丟臉了！

第4話
火車上的戰爭
呼

哇啊——!

爸爸！好快好棒喔！
哈哈哈，不要這麼興奮，不然妳會很累的。
妳不是說好到了那裡，要跟爸爸到處去玩的嗎？
哇！
可是你的工作真的沒關係嗎？

這是難得的休假，就該把工作拋在一邊好好陪陪家人，這樣又沒有錯。

你是哈庫洛將軍吧？

你們是誰，這麼沒有禮貌……
!!

破壞你們一家難得的團圓，真是抱歉啊，將軍。

愉快的家族旅行就要結束了。

ゴオオオオオオオオオ
接下來應該來段驚悚與絕望的家族旅行了吧？

被劫持的是從新歐普汀出發的〇四八四〇號特快車。
是東部激進團體「青之團」所幹的。

聲明呢？
他們可是說了一大串呢，要唸嗎？
反正一定是說我們的壞話。
就是說啊。
不必了。

對方要求釋放收押當中的指導者。
真是老套。
──對了，將軍閣下真的也在火車上嗎？
目前正在確認，我想應該在。

傷腦筋，我傍晚還有約會的說。
偶爾也跟我們一塊留下來加班嘛。
好難喝的茶。
Time table

不如就讓將軍閣下壯烈的犧牲，趕快把事情解決…
むぅ
請你不要開玩笑了，上校。
乘客名單完成了。

啊，哈庫洛這老頭真的跟家人坐在上面耶。
真是的…他應該知道東部的情勢不穩定，偏偏這時候去旅行…
各位，說不定我們今天能夠早點回去喔。

鋼之鍊金術師也在上面呢。

ガー

……這種情況下還能睡的著啊，小鬼。
ガタン タタン
ガタン タタン
ガタン タタン

喂！
ゴン
すぴ
快點起來！
……可惡……

難道就不能像個人質該有的樣子嗎……
矮子！
くわ!!

喔？
ズドゴゴゴゴゴ
幹什麼，你有意見嗎？
ズィッ
パンッ！

嗚喔？
!?
怎麼會這樣？

噗！

どちゃっ
唉…

你還真敢打
啊，小鬼。

誰敢抵抗就
格殺勿論。

哎呀，你
們兩位冷
靜一點。

雖然斃了你
這矮子很沒
成就感……

幹什麼，你
也想反抗…

嗎？

你說誰是超級小矮子的啊——！
哇——我哪有那樣說啊——！
拳打腳踢
大哥，你再打下去會出人命的。
魔鬼…

對了，他們是誰？
原來他只是無意識的對矮子這個字眼有反應啊…

除了我們在車頭有兩個人，頭等車廂有4個人把將軍當作人質，
一般車廂的人質則是集中在幾個地方，由4個人看守。

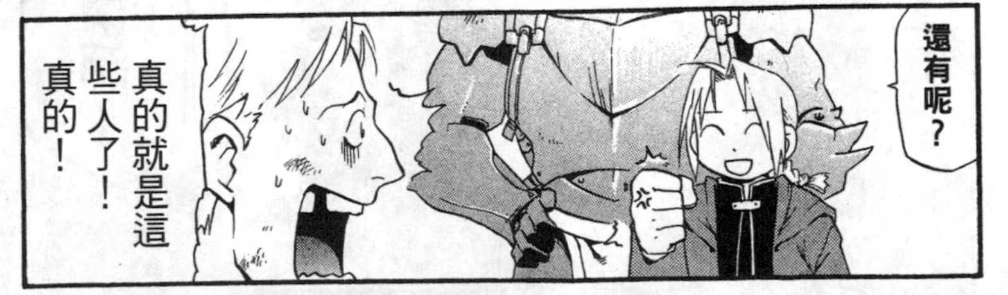
還有呢？
真的就是這些人了！真的！

還有十個人？
那怎麼辦呢，萬一知道同伴被打了，他們一定會來報復…
如果當初某個人不要那麼暴躁，或許事情就好辦了。
呼—
真是的！
老是為過去的事情懊惱怎麼會進步呢，弟弟！

ガタン
ガタン
ガタン
沒辦法了，我從上面，阿爾你從下面，可以吧？
知道了啦。
你…你們到底是誰啊？

我是鍊金術師！

嗚喔喔喔！好強的風！
真是遜斃了—
我很不安……
ゴォオォォオオオオ

…嘿！
那麼…
ゴォォォォォォォォオオオオ

ダッ
我就過去看看囉！

真是奇怪了。後面的傢伙都沒人回應。
EMERG

我過去看看。
喔！
ガラララ

ゴトン
ガタン ゴトン
…真是的，不是說好要定時回報的嗎…

ぬ

嗚…
哇啊啊啊啊

請等一下…

要是跳彈可是很危險的。
…來不及了。
痛死我啦——！
喂，你怎麼…

啦……
ぬ
嗚哇啊啊啊啊啊！
ドパラタタタ
バキンバキン
…跳彈，痛死啦──！
大叔你們是白痴啊？

巴魯特！

後面車廂的人失去消息了。
怎麼回事啊？
…難道有誰上了火車？
不會吧！

EMERGEN

所有警衛都擺平了，與外界的聯絡也都控制在我們手上。
乘客應該無法求救…

難道有人造反？
不會吧！

哼，你們畢竟是烏合之眾。
一旦出了狀況，馬上就亂了陣腳。
你們是絕對不會得逞的。
不如趁現在考慮投降吧。
你們這些人渣。

チュン

……！
ブシュ

嗚啊啊啊啊啊啊！
你廢話少說。

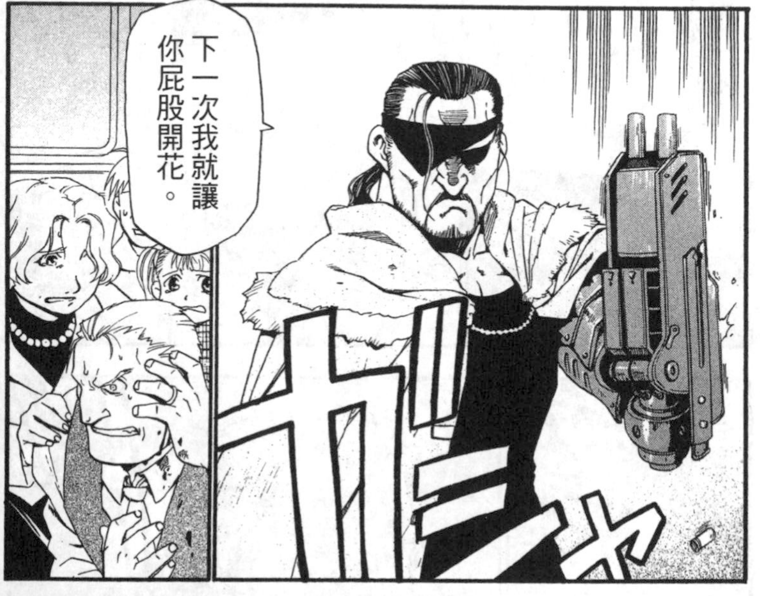
下一次我就讓你屁股開花。
ガシャ

叩！

ゴト
ゴン
ゴン
ゴン
ドドッ
ガガガガガガ

ガガガ
カカカ
啪哩！
ガカカカン

好痛喔！
ドタタタタタタタ
叩！
有個鼠輩。
上去看看。

嗚哇，剛才真的好險！
ゴゴン
ゴゴンゴゴン

哇——
如果不是左腳那就慘了。
カラン
可惡——給我記住。

先把火車頭搶回來！
オオオオオ
オオオ

ゴウン
ゴウン
ゴウン
ゴウン
ゴウン

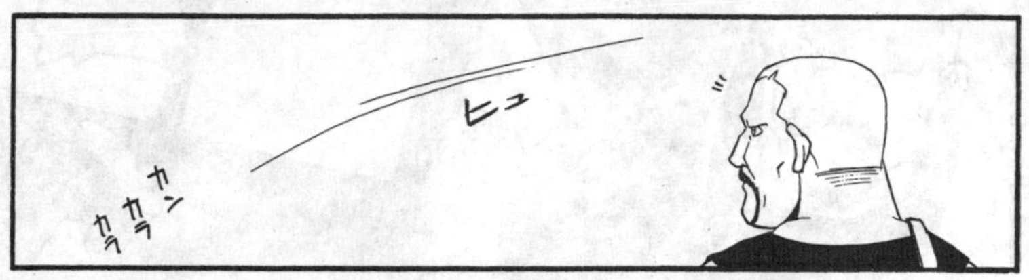
ヒュ
カン
カラカラ

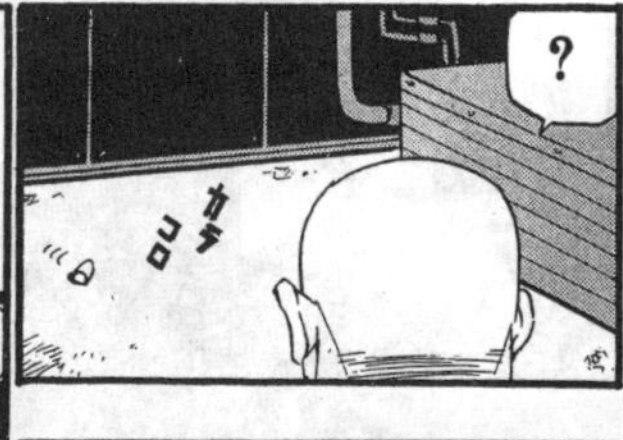
？
カラコロ

那種東西是從哪來的…
ゴォオオオオ

子彈？

ばかん
噗！
!!
小子……
嗚喔？

べどべ
しかこ
臭小子！
臭小子！
ぎゃあぁ
あああ
ぐ゛
!!

有什麼需要幫忙的嗎？
ゴトンゴトン
麻煩你開穩一點！
ゴトン

嘿咻…
ゴトン
ゴトン
ゴトン

我找到你了，小老鼠。
ゴオオオオオ
オオオオ

ドドン
ドドン
嗚哇！

啊……
……很危險的耶，臭小子！
どばっ

ゴン
嗚哇！

喂！你把蒸氣火車的命脈炭水車怎麼了！
哇！抱歉！

嗯？炭水車…？
COAL
WATER
愛德畫

喔……

巴魯特！他根本不是鼠輩！
我不知道他是誰，不過有個很厲害的傢伙在車頂上…！

喂，2號車廂怎麼了！喂！

救命啊，有個穿盔甲的巨人…
沙！
盔甲？你在胡扯什麼…
啊…
沙！

哇啊啊啊啊啊啊啊啊啊啊啊啊啊啊
咚噠噠噠噠噠
咚！
叩！

ガシッ
にゅっ
什麼…
びくっ!!
怎麼了…
啊——啊——犯罪集團的成員們。
車頭跟後面車廂已經被我們搶過來了。
目前就只剩下這節車廂了。
如果你們乖乖釋放人質出面投降就沒事，
不然的話，我們將採取強制手段…

開什麼玩笑…我不管你是誰，只要人質在我們手上，我們就不會輸！
哎呀，看來是要反抗到底囉？
抱歉，交涉破裂。
水管……？

各位人質請找地方掩蔽！
快逃……

噗喔？

噗啊啊啊
啊啊啊啊
啊啊啊！

喀啦！

歡迎光臨！
ゴン
嗚……
好高大的……盔甲……
嗚嗚！
還早呢！
最重要的人質還……
ガッ
ヤ

你…
也是用機械鎧的啊？

就……
就你這個小鬼——!
ジャキ

喀鏘!

搞什麼!
用的是便宜貨啊。

嗨！鋼仔。

哎呀，上校，你好啊。

你幹嘛一副不屑的表情啊。
咕啊──早知道是上校的管轄範圍，我就不管了！

你還是那麼冷漠啊。
…喔！
霍克愛中尉。
阿爾馮斯你好。

你的手還沒有恢復原狀啊。

雖然我調查過文獻，不過很難…
昨天我還熬夜呢。
ギシ
如今我在東部的城市到處尋找，至今還沒有找到好方法。

這一點我有聽說。
你好像四處在搞破壞呢。
還不快點走！
嘖！
你的消息還真是靈通啊。
那是因為你的動作都太大了。
嗯！嗯！

嗚哇啊！
你…
嗚啊！

ふ

嗚哇！
暗藏的刀子！
上校。
請你先退下…
…
我來就行了。

喔喔喔喔喔喔喔！
ガ
握！

パキッ
唧！
チ チッ
!!
ガッ
チ チ チ
ゴオッ
喔喔啊？

嘎啊啊啊啊啊啊啊啊啊啊啊啊！

這次我先饒你不死。
敢再作怪的話，我就把你燒成黑炭喔？
カッ

掲載・月刊少年ガンガン平成13年8月号～11月号

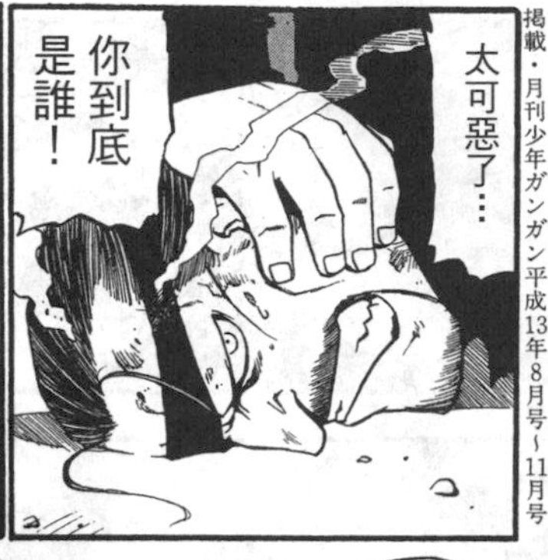

就是「焰之鍊金術師」。

你最好牢牢記住。

鋼之鍊金術師1　完／下集待續

騙人的。

## 鋼的鍊金術師

我是愛德華・愛力克！
右手左腳都是鋼的國家鍊金術師！
ドバーン

我是阿爾馮斯・愛力克！
全身是鋼鐵盔甲，擁有不死之身的鍊金術師！
我們兩個就是最強的愛力克兄弟！
ズバーン

## 鋼之鍊金術師

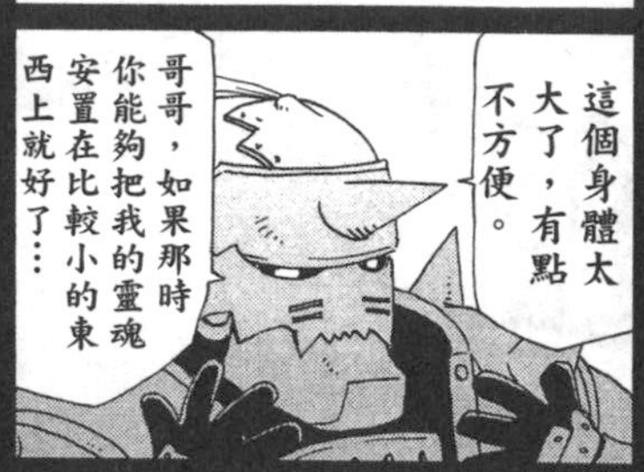

搖晃
搖晃
搖晃
咚咚
咚咚
咚咚

## 鋼之鍊金術師 1
## 特別感謝…

高枝景水 先生
ひのでや三吉 兄
杜康潤 先生
上遠野洋一 老兄
銀凰恵 小姐

金田一蓮十郎 老師

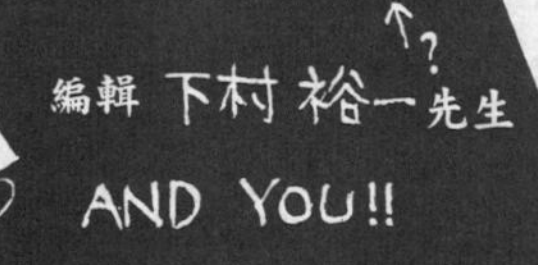

編輯 下村裕一 先生

AND YOU!!

### 鋼之鍊金術師

妮娜與亞歷山大…在哪裡？
我不喜歡你這種直覺很敏銳的小鬼。
背叛了神的人們所背負的…
罪與罰

# 鋼之鍊金術師

## 2004年全台熱賣中！

第2卷
HAGANE no RENKINJUTSUSHI no.2

TONG LI COMICS
日本SQUARE ENIX正式授權中文版
東立出版社有限公司
捍衛星天使
高坂りと
剷除異星罪犯，保衛地球安全！
純潔善良的小學生如月古雪，被來到地球的神秘生命體「監視者」賦予力量，從此她就能變身成為擁有不可思議力量的小魔女，並擔負著打退異星人的使命。然而，沒想到凶惡的異星人居然整整晚了五年才來到地球…
全4冊 36K85元 全省好評熱賣中！

TONG LI COMICS
日本SQUARE ENIX正式授權中文版 東立出版社有限公司
幽浮公主
圓盤皇女
介錯
在地球上，
所謂的外星人越來越不稀奇的這幾年，
邂逅命運的女神…
①～④ 36K85元 全省好評熱賣中！
圓盤從天而降

TONG LI COMICS
日本SQUARE ENIX正式授權中文版
東立出版社有限公司
正義不敗！
邪惡退散！
神劍組滅鬼最終章！
華之神劍組
松沢夏樹
全七冊
36K90元 全省好評熱賣中！

IC04401 C0P192

# 鋼之鍊金術師①

原名：鋼の錬金術師1

■作　　者　荒川 弘
■譯　　者　方郁仁
■執行編輯　鄭珮茹
■發 行 人　范萬楠
■發 行 所　東立出版社有限公司
■東立網址　http://www.tongli.com.tw
台北市承德路二段81號10樓
☎(02)25587277　FAX(02)25587296
■劃撥帳號　1085042-7（東立出版社有限公司）
■劃撥專線　(02)28100720
■印　　刷　嘉良印刷實業股份有限公司
■裝　　訂　台興印刷裝訂股份有限公司
■法律顧問　曾森雄律師　曲麗華律師
■2004年5月1日第1刷發行
2006年4月5日第9刷發行

日本SQUARE ENIX正式授權台灣中文版



■本書若有破損、缺頁請寄回編輯部
ISBN 986-11-4609-1　（價格以封面上標示為準）